Un texte d'**Alphonse Daudet** illustré par **Éric Battut**

La chèvre de M.Seguin

Didier Jeunesse

M. Seguin n'avait jamais eu de bonheur avec ses chèvres.

Il les perdait toutes de la même façon ; un beau matin, elles cassaient leur corde,

s'en allaient dans la montagne, et là-haut le loup les mangeait.

Ni les caresses de leur maître, ni la peur du loup, rien ne les retenait.

C'étaient, paraît-il, des chèvres indépendantes, voulant à tout prix le grand air et la liberté.

Le brave M. Seguin, qui ne comprenait rien au caractère de ses bêtes, était consterné.

Il disait :

"C'est fini ; les chèvres s'ennuient chez moi, je n'en garderai pas une."

Cependant, il ne se découragea pas, et,

après avoir perdu six chèvres de la même manière, il en acheta une septième ;

seulement, cette fois, il eut soin de la prendre toute jeune,

pour qu'elle s'habituât mieux à demeurer chez lui.

Ah ! Gringoire, qu'elle était jolie la petite chèvre de M. Seguin !
qu'elle était jolie avec ses yeux doux, sa barbiche de sous-officier, ses sabots noirs et luisants,
ses cornes zébrées et ses longs poils blancs qui lui faisaient une houppelande !
C'était presque aussi charmant que le cabri d'Esméralda
– tu te rappelles, Gringoire ? –
et puis, docile, caressante, se laissant traire sans bouger,
sans mettre son pied dans l'écuelle. Un amour de petite chèvre...
M. Seguin avait derrière sa maison un clos entouré d'aubépines.
C'est là qu'il mit la nouvelle pensionnaire.
Il l'attacha à un pieu au plus bel endroit du pré, en ayant soin de lui laisser beaucoup de corde,
et de temps en temps il venait voir si elle était bien.
La chèvre se trouvait très heureuse et broutait l'herbe de si bon coeur que M. Seguin était ravi.
"Enfin, pensait le pauvre homme, en voilà une qui ne s'ennuiera pas chez moi !"
M. Seguin se trompait, sa chèvre s'ennuya.

Un jour, elle se dit en regardant la montagne : "Comme on doit être bien là-haut !

Quel plaisir de gambader dans la bruyère, sans cette maudite longe qui vous écorche le cou !...

C'est bon pour l'âne ou le boeuf de brouter dans un clos !...

Les chèvres, il leur faut du large."

À partir de ce moment, l'herbe du clos lui parut fade.

L'ennui lui vint. Elle maigrit, son lait se fit rare.

C'était pitié de la voir tirer tout le jour sur sa longe,

la tête tournée du côté de la montagne, la narine ouverte, en faisant *Mé !...* tristement.

M. Seguin s'apercevait bien que sa chèvre avait quelque chose,

mais il ne savait pas ce que c'était...

Un matin, comme il achevait de la traire, la chèvre se retourna et lui dit dans son patois :

"Écoutez, monsieur Seguin, je me languis chez vous, laissez-moi aller dans la montagne.

"Ah ! mon Dieu !... Elle aussi !" cria M. Seguin stupéfait,

et du coup il laissa tomber son écuelle ;

puis, s'asseyant dans l'herbe à côté de sa chèvre :

"Comment, Blanquette, tu veux me quitter !"

Et Blanquette répondit : "Oui, monsieur Seguin.

– Est-ce que l'herbe te manque ici ?

– Oh ! non, monsieur Seguin.

– Tu es peut-être attachée de trop court. Veux-tu que j'allonge la corde ?

– Ce n'est pas la peine, monsieur Seguin.

– Alors, qu'est-ce qu'il te faut ? qu'est-ce que tu veux ?

– Je veux aller dans la montagne, monsieur Seguin.

– Mais, malheureuse, tu ne sais pas qu'il y a le loup dans la montagne...

Que feras-tu quand il viendra ?...

– Je lui donnerai des coups de cornes, monsieur Seguin.

– Le loup se moque bien de tes cornes. Il m'a mangé des biques autrement encornées que toi...

Tu sais bien, la pauvre vieille Renaude qui était ici l'an dernier ?

une maîtresse chèvre, forte et méchante comme un bouc.

Elle s'est battue avec le loup toute la nuit...

puis, le matin, le loup l'a mangée.

– Pécaïre ! Pauvre Renaude !... Ça ne fait rien, monsieur Seguin,

laissez-moi aller dans la montagne.

– Bonté divine !... dit M. Seguin ; mais qu'est-ce qu'on leur fait donc à mes chèvres ?

Encore une que le loup va me manger... Eh bien, non... je te sauverai malgré toi, coquine !

et de peur que tu ne rompes ta corde, je vais t'enfermer dans l'étable,

et tu y resteras toujours."

Là-dessus, M. Seguin emporte la chèvre dans une étable
toute noire, dont il ferma la porte à double tour.
Malheureusement, il avait oublié la fenêtre,
et à peine eut-il le dos tourné, que la petite s'en alla...
Tu ris, Gringoire ? Parbleu ! je crois bien ; tu es du parti des chèvres, toi,
contre ce bon M. Seguin... Nous allons voir si tu riras tout à l'heure.

Quand la chèvre blanche arriva dans la montagne,

ce fut un ravissement général.

Jamais les vieux sapins n'avaient rien vu d'aussi joli.

On la reçut comme une petite reine.

Les châtaigniers se baissaient jusqu'à terre pour la caresser

du bout de leurs branches.

Les genêts d'or s'ouvraient sur son passage, et sentaient bon

tant qu'ils pouvaient.

Toute la montagne lui fit fête.

Tu penses, Gringoire, si notre chèvre était heureuse !

Plus de corde, plus de pieu...

rien qui l'empêchât de gambader, de brouter à sa guise...

C'est là qu'il y en avait de l'herbe ! jusque par-dessus les cornes, mon cher !...

Et quelle herbe ! Savoureuse, fine, dentelée, faite de mille plantes...

C'était bien autre chose que le gazon du clos. Et les fleurs donc !...

De grandes campanules bleues, des digitales de pourpre à longs calices,

toute une forêt de fleurs sauvages débordant de sucs capiteux !...

La chèvre blanche, à moitié saoule, se vautrait là-dedans les jambes en l'air
et roulait le long des talus, pêle-mêle avec les feuilles tombées et les châtaignes...
Puis, tout à coup, elle se redressait d'un bond sur ses pattes.
Hop ! la voilà partie, la tête en avant, à travers les maquis et les buissières,
tantôt sur un pic, tantôt au fond d'un ravin, là-haut, en bas, partout...
On aurait dit qu'il y avait dix chèvres de M. Seguin dans la montagne.

C'est qu'elle n'avait peur de rien, la Blanquette.

Elle franchissait d'un saut de grands torrents qui l'éclaboussaient
au passage de poussière humide et d'écume.

Alors, toute ruisselante, elle allait s'étendre sur quelque roche plate
et se faisait sécher par le soleil...

Une fois, s'avançant au bord d'un plateau, une fleur de cytise aux dents,
elle aperçut en bas, tout en bas dans la plaine, la maison de M. Seguin
avec le clos derrière. Cela la fit rire aux larmes.

"Que c'est petit ! dit-elle ; comment ai-je pu tenir là-dedans ?"

Pauvrette ! de se voir si haut perchée, elle se croyait au moins aussi grande que le monde...

En somme, ce fut une bonne journée
pour la chèvre de M. Seguin.
Vers le milieu du jour, en courant
de droite et de gauche, elle tomba
dans une troupe de chamois en train
de croquer une lambrusque à belles dents.
Notre petite coureuse en robe blanche
fit sensation. On lui donna
la meilleure place à la lambrusque,
et tous ces messieurs furent très galants…
Il paraît même

– ceci doit rester entre nous, Gringoire –

qu'un jeune chamois à pelage noir
eut la bonne fortune de plaire à Blanquette.
Les deux amoureux s'égarèrent
parmi le bois une heure ou deux,
et si tu veux savoir ce qu'ils dirent,
va le demander aux sources bavardes
qui courent invisibles dans la mousse.

Tout à coup le vent fraîchit. La montagne devint violette ;

c'était le soir...

"Déjà !" dit la petite chèvre, et elle s'arrêta fort étonnée.

En bas, les champs étaient noyés de brume.

Le clos de M. Seguin disparaissait dans le brouillard, et de la maisonnette

on ne voyait plus que le toit avec un peu de fumée.

Elle écouta les clochettes d'un troupeau qu'on ramenait,

et se sentit l'âme toute triste...

Un gerfaut, qui rentrait, la frôla de ses ailes en passant.

Elle tressaillit... puis ce fut un hurlement dans la montagne :

"Hou ! hou !"

Elle pensa au loup, de tout le jour la folle n'y avait pas pensé…
Au même moment une trompe sonna bien loin dans la vallée.
C'était ce bon M. Seguin qui tentait un dernier effort.

"Hou ! hou !" faisait le loup.
"Reviens ! reviens !…" criait la trompe.

Blanquette eut envie de revenir ; mais en se rappelant le pieu, la corde, la haie du clos,
elle pensa que maintenant elle ne pouvait plus se faire à cette vie, et qu'il valait mieux rester.
La trompe ne sonnait plus…

La chèvre entendit derrière elle un bruit de feuilles.

Elle se retourna et vit dans l'ombre deux oreilles courtes, toutes droites,

avec deux yeux qui reluisaient… C'était le loup.

Énorme, immobile, assis sur son train de derrière, il était là regardant

la petite chèvre blanche et la dégustant par avance.

Comme il savait bien qu'il la mangerait, le loup ne se pressait pas ;

seulement, quand elle se retourna, il se mit à rire méchamment :

"Ha ! ha ! la petite chèvre de M. Seguin" ;

et il passa sa grosse langue rouge sur ses babines d'amadou.

Blanquette se sentit perdue… Un moment, en se rappelant l'histoire de la vieille Renaude,

qui s'était battue toute la nuit pour être mangée le matin,

elle se dit qu'il vaudrait peut-être mieux se laisser manger tout de suite ;

puis, s'étant ravisée, elle tomba en garde, la tête basse et la corne en avant,

comme une brave chèvre de M. Seguin qu'elle était…

Non pas qu'elle eût l'espoir de tuer le loup – les chèvres ne tuent pas le loup –

mais seulement pour voir si elle pourrait tenir aussi longtemps que la Renaude…

Alors le monstre s'avança, et les petites cornes entrèrent en danse.

Ah ! la brave petite chevrette, comme elle y allait de bon coeur !

Plus de dix fois, je ne mens pas, Gringoire, elle força le loup à reculer pour reprendre haleine.

Pendant ces trêves d'une minute, la gourmande cueillait en hâte encore un brin de sa chère herbe ; puis elle retournait au combat, la bouche pleine...

Cela dura toute la nuit.

De temps en temps la chèvre de M. Seguin regardait les étoiles danser dans le ciel clair, et elle se disait :

"Oh ! pourvu que je tienne jusqu'à l'aube..."

L'une après l'autre, les étoiles s'éteignirent.

Blanquette redoubla de coups de cornes, le loup de coups de dents...

Une lueur pâle parut dans l'horizon...

Le chant du coq enroué monta d'une métairie.

"Enfin !" dit la pauvre bête, qui n'attendait plus que le jour pour mourir ;

et elle s'allongea par terre dans sa belle fourrure blanche toute tachée de sang...

Alors le loup se jeta sur la petite chèvre et la mangea.

Adieu, Gringoire !

L'histoire que tu as entendue n'est pas
un conte de mon invention.
Si jamais tu viens en Provence, nos ménagers,
te parleront souvent de la cabro de
moussu Seguin,
que se battégue touto la neui emé lou loup,
e piei lou matin lou loup la mangé.*
Tu m'entends bien, Gringoire :
E piei lou matin lou loup la mangé !

* La chèvre de M. Seguin, qui se battit toute la nuit avec le loup, et puis, le matin, le loup la mangea.